0/0513

Por

C000084048

Paris

Pascale

May 2013

Paris

LEÇONS DE SOLFÈGE ET DE PIANO

Petits Traités, tomes I à VIII, éd. Adrien Maeght, 1990 (Folio 2976-2977)

Dernier Royaume, tomes I à VIII :

Les Ombres errantes (*Dernier Royaume* I), éd. Grasset, 2002 (Folio 4078)

Sur le jadis (*Dernier Royaume* II), éd. Grasset, 2002 (Folio 4137)

Abîmes (*Dernier Royaume* III), éd. Grasset, 2002 (Folio 4138)

Les Paradisiaques (*Dernier Royaume* IV), éd. Grasset, 2005 (Folio 4616)

Sordidissimes (*Dernier Royaume* V), éd. Grasset, 2005 (Folio 4615)

La Barque silencieuse (*Dernier Royaume* VI), éd. Le Seuil, 2009 (Folio 5262)

Les Désarçonnés (*Dernier Royaume* VII), éd. Grasset, 2012

Vie secrète (*Dernier Royaume* VIII), éd. Gallimard, 1998 (Folio 3292)

L'Être du balbutiement, essai sur Sacher-Masoch, éd. Mercure de France, 1969

La Parole de la Délie, essai sur Maurice Scève, éd. Mercure de France, 1974

Michel Deguy, éd. Seghers, 1975

Le Lecteur, récit, éd. Gallimard, 1976

Carus, roman, éd. Gallimard, 1979 (Folio 2211)

Les Tablettes de buis d'Apronenia Avitia, roman, éd. Gallimard, 1984 (L'Imaginaire 212)

Le Salon du Wurtemberg, roman, éd. Gallimard, 1986 (Folio 1928)

La Leçon de musique, éd. Hachette, 1987 (Folio 3767)

Les Escaliers de Chambord, roman, éd. Gallimard, 1989 (Folio 2301)

Pascal Quignard

LEÇONS DE SOLFÈGE ET DE PIANO

arléa
16, rue de l'Odéon, 75006 Paris
www.arlea.fr

Collection "Arléa-Poche"
– N° 195 –

Ce livre est édité par Anne Bourguignon.

Cette conférence a été prononcée trois fois. À la
Bibliothèque nationale de France le vendredi 11 juin
2010, à l'abbaye de Lagrasse le dimanche 8 août 2010,
à la Fabrique de Guéret le samedi 25 septembre 2010.

Mai 2013 © Arléa
EAN 9782363080257

Les leçons de solfège et de piano
de Louis Poirier à Ancenis
en 1919 et 1920

Je dois tout à Louis-René des Forêts. Il m'a publié en 1968. Il m'a fait entrer comme lecteur aux éditions Gallimard, en 1969. Il m'a même aidé financièrement quand j'étais le chauffeur du vaguemestre, à l'armée, à l'état-major de la Ire région militaire, à Saint-Germain-en-Laye, en 1971. Les œuvres de Des Forêts et de Gracq ne sont pas si éloignées qu'il semble. C'est le même monde. C'est la même beauté de la langue, la même perfection du style, le même univers romantique, la même passion de l'opéra. Gracq est plus proche de Breton, Des Forêts est plus proche de Bataille.

Gracq est plus proche de Hans Bellmer, Des Forêts est plus proche de Pierre Klossowski. Il faudrait écrire à la façon de Plutarque un parallèle entre Des Forêts et Gracq.

Je serai plus modeste. Je vais me limiter à un petit point d'érudition parce que, à vrai dire, je suis seul à pouvoir le traiter.

Je vais faire ça en deux parties.

D'abord les faits. Ensuite Chaminadour.

D'abord les faits.

En 1895, Julien Quignard, organiste à Ancenis, mourut soudain. Une lettre de condoléances de Maurice Rollinat en conserve la trace. Il avait quatre enfants. L'aînée, Juliette Quignard, âgée de seize ans, reprit les orgues qu'elle tint plus de soixante-dix ans durant. Il s'agit de plus de soixante-dix ans de service *continu*, sans congés possibles, sans vacances, puisque la municipalité lui décerna à cette occasion une « médaille du travail » – qui la rendit très maussade. Je me souviens qu'elle ne répondit pas à l'allocution du maire. Il est vrai qu'elle ne parlait jamais. Elle souriait. Elle était très timide. Elle faisait de la musique. Elle vivait ses mains dans ses mitaines et elle ne parlait pas. C'est ainsi que Juliette Quignard, toute seule, âgée de seize ans, parvint à faire vivre sa mère, Constance Quignard, ses deux sœurs plus jeunes, Marguerite et Marthe Quignard, et son petit frère, Georges Quignard.

Vingt-cinq ans passent.

En 1919 et en 1920, le jeudi après-midi, après le déjeuner, le petit Louis Poirier vient en charrette de Saint-Florent à Ancenis – très précisément de la *Mercerie en gros Prod'homme et Poirier* rue du Grenier à Sel, à Saint-Florent-le-Vieil, au 10 rue des Vinaigriers, à Ancenis – prendre sa leçon de solfège, suivie de sa leçon de piano, au cours des Demoiselles Quignard.

J'ai là une photo d'une tristesse merveilleuse, retrouvée dans les poubelles le jour où fut vidée la maison de Jane Michel à Ancenis, il y a de cela une dizaine d'années, au lendemain de sa mort.

Les lecteurs sont des gens merveilleux. Quelqu'un passe dans la rue. Il voit dans une poubelle une vieille photo de classe du cours des Demoiselles Quignard année

1920. Il la ramasse. Il la met sous une en-
veloppe avec un petit mot. Il l'adresse à

mon nom aux éditions Gallimard qui me la
font parvenir.

Cette photo date de 1920.

Je ne sais pourquoi cela m'emplit de
bonheur de citer des morts – une liste de
morts qui n'ont jamais été cités.

Et je dédie ces noms qui n'ont jamais
sonné, ces vies éteintes minuscules, à Pierre
Michon qui se trouve quelque part, ici, parmi
les chaises sous le cloître.

Ces inconnus sont pourtant les seuls au monde – avec sa sœur Suzanne et ses parents – à avoir entendu, pendant deux ans, Julien Gracq jouer du piano.

Les deux sœurs Marsily, Yvonne Chauveau, Jane Michel, Denise Fonze, Adrienne Ollard, Paulette Raffin, Odile de Sainte-Vaulvy, Paule Chauveau, Marthe des Poissonais, Marthe Ollard, mademoiselle Marguerite Quignard, Jacques Quignard (c'est mon père), Marie-Louise Chauveau, mademoiselle Marthe Quignard (dessin et violon), Annick Chauveau, Odette Guitard.

Voilà ce qui est écrit au dos de la photo de classe.

Quelques points d'interrogation à l'encre violette, sans doute dus à la plume de Jane Michel, signalent les inconnues, ou du moins celles dont le nom lui était échappé.

On est au printemps 1920. On n'est pas encore en juillet. Louis Poirier a encore neuf ans.

Toutes ces petites et jeunes filles de cinq, six ans à quinze, seize ans l'entendent faire sa dictée musicale, jouer par cœur le morceau de la semaine précédente, prendre sa leçon de piano jusqu'à ce que mademoiselle Juliette remplisse en silence son carnet pour noter le travail de la semaine à venir.

Ma sœur Marianne possède une petite peinture à l'huile de ma tante Juliette – dont

elle était la filleule – et qui a été exécutée par ma tante Marthe à la fin de la Première Guerre. C'est donc exactement le visage que Juliette Quignard avait quand elle enseignait le piano à Julien Gracq, 10 rue des Vinaigriers, à Ancenis.

Derrière son torse, à gauche, on aperçoit le piano sur lequel était donnée la leçon, sur lequel Julien Gracq a joué deux ans durant. C'est un Pleyel noir sur lequel j'ai longtemps joué. Il était dans ma chambre.

J'ai moi-même appris le violon avec ma

tante Marthe, le piano et l'orgue avec ma tante Juliette. Je vais restituer exactement comment les leçons se déroulaient.

L'enseignement donné au cours des Demoiselles Quignard était très traditionnel. Elles dissociaient toujours la lecture et l'interprétation.

Ce n'était que du su par cœur.

Comme pour les verbes grecs irréguliers – *horao, opsomai, eidon, heôraka* – tout devait être récité *aux doigts de la main.*

J'ai encore tous ces petits chants – ces cantilations – dans l'oreille.

D'abord les sept notes, les sept clés, les sept silences.

Ensuite les cinq altérations.

Ensuite les cinq ornements.

La liste des sept dièses, celle des sept bémols ; les quatorze gammes majeures, les quatorze relatives ; les vingt-huit arpèges correspondants.

Pour finir, les deux règles pour transposer à vue.

Voici maintenant l'ordre suivi lors de chaque leçon de solfège et de piano.

D'abord, assis devant la table, Louis Poirier lit muettement les notes ; puis il les chantonne tout bas, sans durée, une à une, à la hauteur qu'il faut ; puis il bat la mesure et se met à chanter avec force marquant les hauteurs, respectant les durées et modulant les intensités selon les nuances qui sont indiquées.

En conclusion de la partie de solfège du cours, c'est l'instant de la dictée musicale.

Il s'agit d'une ligne mélodique qu'il faut être capable de noter avec exactitude dans sa tonalité, son armure, le décompte de ses temps, afin d'en accueillir les valeurs et les rythmes.

Ensuite l'enfant quitte la chaise et la table et va s'asseoir sur le tabouret devant le piano.

Il joue la sonate de la semaine qui précède, qu'il a dû apprendre par cœur.

Puis c'est le déchiffrage du nouveau morceau qui devra être étudié et mémorisé pour la semaine suivante. D'abord, à voix haute, il lit sur la partition les clés de sol et de fa séparément. C'est ainsi que chaque partie, pour chaque main, reçoit son chant avant d'être interprétée. C'est seulement à ce moment-là qu'on place les mains au-dessus du clavier, qu'on décompte la mesure à vide, que les doigts viennent articuler les touches. À la moindre difficulté rencontrée par les doigts tâtonnants, le professeur note au crayon, au-dessus des notes, sur la partition, le doigté préférable. Cela fait, l'élève est requis de chanter à nouveau toute la main gauche, ou toute la main droite, en battant la mesure sur sa cuisse avec l'autre main, avant de la rejouer, toujours séparément, sur le clavier.

Lors des exercices, Louis Poirier apprend essentiellement à tenir ses poignets ronds au-dessus du clavier, à tourner le pouce sans bouger le reste de la main, à monter régulièrement les deux gammes, majeure et relative, appropriées à chaque morceau, enfin à lancer et à redescendre sur trois octaves les arpèges correspondant à l'armure.

Ma tante Juliette plaçait toujours une petite gomme sur chaque poignet. Si on avait le malheur de creuser le poignet, la gomme tombait et, aussitôt, on recevait un coup de jonc sur le poignet défectueux. Ma tante Juliette ne disait jamais un mot. Il fallait alors spontanément se lever du tabouret à vis, revêtu de côtes de velours grenat, chercher par terre où la gomme avait bien pu rebondir, la ramasser, la tendre à ma tante Juliette, qui ne disait toujours rien, qui la prenait avec sa main toujours à demi couverte des mitaines des organistes. Il fallait se hisser de nouveau sur le velours du tabouret, arrondir de nouveau les deux poignets au-dessus des touches, attendre qu'elle eût redisposé les gommes sur le dos des mains, enfin reprendre la sonate à partir de l'endroit où ma tante Juliette pointait l'extrémité de la baguette de jonc sur la partition.

Cinquante ans passent.

Au mois de juin 1968 je repris des mains de Marthe Quignard les orgues d'Ancenis (qui les avait reprises elle-même des mains de sa sœur Juliette morte en 1966). Je rédigeai dans mes temps libres un essai sur Maurice Scève que j'adressai durant l'été aux éditions Gallimard. Louis-René des Forêts publia aussitôt, dans une revue qu'il dirigeait (avec Paul Celan, Michel Leiris, Yves Bonnefoy, André du Bouchet) au mois de septembre 1968, un des chapitres de ce livre. Puis Paul Celan me proposa de traduire des œuvres peu connues des Grecs anciens, pour la revue *L'Éphémère*, et Louis-René des Forêts me proposa de lire des manuscrits, pour les éditions Gallimard. Je quittai Ancenis au mois de septembre et m'installai à Paris.

Vingt ans passent.

En 1987 je fis paraître à la Librairie Hachette un livre intitulé *La Leçon de musi-*

que. Gracq fit aussitôt le lien avec ses propres leçons de musique chez mes grand-tantes. Il s'assura d'abord par lettre – une petite fiche pas plus grande qu'une carte de visite – que j'appartenais bien à la même famille que les demoiselles Quignard du cours de la rue des Vinaigriers, à Ancenis. Je le lui confirmai. Il me convoqua au Cercle militaire.

Quand j'arrivai au Cercle militaire, dans le VIIIe arrondissement de Paris, Julien Gracq me regarda, consterné.

Il m'explique que je n'ai pas de cravate et que je ne vais pas pouvoir être admis dans le salon où nous devons déjeuner.

Il me mène alors à un jeune militaire qui lui-même me conduit à un guichet où je loue une cravate à pois blancs sur fond noir. Julien Gracq ne paraît pas malheureux de cette petite scène humiliante, en tout cas hiérarchisante. Un autre soldat du contingent nous conduit à la table réservée par Gracq. Étrange déjeuner où de nouveau Julien Gracq accable mes grand-tantes d'Ancenis que je justifie du mieux que je peux. Mais comment justifier Juliette Quignard d'avoir été orpheline si jeune ? d'avoir été pauvre durant tout le restant de sa vie ? d'avoir aimé à ce point la musique de chambre, la musique savante au détriment de la musique populaire ? d'avoir tellement préféré Bach à Wagner ?

Maintenant Chaminadour.

Entre nous, Ancenis et Saint-Florent, sur le bord de la Loire, c'étaient deux toutes petites villes.

C'était Chaminadour à Guéret.

Je vais lire trois phrases merveilleuses et terribles de Gracq.

Voici les références : *Lettrines 2*, 1974, à la page 172, ou encore Pléiade II, 1995, à la page 356.

« À Ancenis, cet après-midi, j'ai tenté de retrouver la rue où, en 1919 et 1920, le jeudi après-midi, j'allais prendre ma leçon de piano chez les demoiselles R. Je ne sais si une sensibilité d'enfant est capable d'enregistrer, de déceler dans une scène vécue le timbre exact que viendra réveiller plus tard la lecture d'un grand romancier – mais si cela peut être, c'est bien rue Barême, à neuf ou dix ans, que j'ai découvert Balzac.

« Mademoiselle R. ouvrait à mon coup de sonnette ; de ses mitaines sortait seulement le bout de ses doigts, elle plaçait sans mot dire la partition sur le piano, je commençais mes gammes ; assise près de moi, toujours sans mot dire, de temps en temps elle me tapait légèrement, sèchement sur les doigts, soupirait : je recommençais, les dents serrées, les doigts raides, petit Sisyphe musical et résigné.

« Les demoiselles R. ont dû vivre là, rue Barême, jusqu'à la fin, dans la pénombre et le froid glacial, le châle serré autour des épaules, n'attendant plus rien et à jamais de la vie que les maigres « rentrées » de fin de mois qui permettaient de manger – mortellement impécunieuses et solitaires, petits fantômes noirs et muets, la guimpe haute autour du cou, les lèvres serrées, peu à peu gelées vives, mais au milieu des meubles de famille, et gardant jusqu'à la fin une dernière apparence de rang : des *demoiselles* toujours (...) – cet enlisement lent, cette rigidité et ce froid funèbre qui figeait peu à peu, longtemps avant la mort, un couple de vieilles filles ruinées au fond d'une ruelle de sous-préfecture. »

Cela blessa les miens.

Cela révolta même un certain nombre d'habitants d'Ancenis.

La pauvreté des miens était évidente. Il y avait un piano à chaque étage, des instruments à cordes partout pour faire des trios, des quatuors, des quintettes, au pied levé. Mais, pour le reste, rien. La plupart des pièces n'étaient pas électrifiées. Il y avait quelques poêles, à bois, minuscules, en tôle. Il y en avait un, gris pâle, à mazout, qu'on trimbalait partout pour faire de la musique. On mangeait peu, des choses pas chères, des abats. On ne lavait pas la poêle où on les faisait frire. On mettait un peu de beurre, du sel, du poivre, un peu de vin et on sauçait avec du pain (les grands pains salés de la Loire). Puis, avec son café, on prenait *un* biscuit.

Un biscuit de l'usine Lu de Nantes.

Je ne puis distinguer les trois sœurs Brontë de mes trois grand-tantes.

Charlotte, Ann, Emily Brontë avaient formé le vœu de fonder une école de jeunes filles dans le presbytère de leur père.

Juliette, Marguerite, Marthe Quignard réalisèrent ce vœu au 10 rue des Vinaigriers à Ancenis, du moins jusqu'en 1927, date à laquelle la tuberculose emporta ma tante Marguerite.

Ah ! Les organistes d'Ancenis, ce n'étaient pas les merciers de Saint-Florent-le-Vieil !

Tous les soirs il fallait aller chercher chacun sa lampe Pigeon, chacun sa chandelle, rangées en rang d'oignons le long de la barre de cuivre de la cuisinière.

Le puits, qu'on amorçait avec un bras de fonte, était situé dehors, contre le mur, emmuraillé dans les pierres moussues du jardin. L'eau tombait d'un coup, lourdement, dans le broc qu'il fallait soutenir.

Des années durant, à Pâques, j'ai lu à la bougie.

On avançait prudemment, en protégeant la flamme avec la main, dans le corridor glacé, frissonnant dans sa chemise de nuit en coton, bordée d'un fil bleu.

C'étaient des peintures de Georges de La Tour, en plus enfantin et en plus amaigri.

Le matin je versais un seau de boulets, je glissais des bouts de cageot, je tressais des pages de journaux qui avaient enveloppé les légumes du marché, ôtant les ronds de la cuisinière, pour raviver le feu.

Louis-René des Forêts était très riche. Il possédait des châteaux. Julien Gracq, Marcel Proust, Raymond Roussel étaient si aisés qu'ils publiaient à compte d'auteur. Michel Leiris avait un chauffeur, un valet de chambre, un maître d'hôtel. Pour ce qui me concerne une théière et un lit ont suffi à mes jours. J'y ajoutai des milliers de livres que j'empruntais dans les bibliothèques religieuses, nationales, universitaires, municipales.

Un crayon, des dos d'enveloppes. C'est ainsi que le courrier qu'on reçoit peut être réexpédié à Dieu. C'est sans doute cela, la *sublimation* : détourner des morceaux de papier et des dos de carton de la poubelle collective qui fait d'ordinaire leur fin.

Pourquoi Gracq, des années après, des dizaines d'années après, *soixante-sept ans après*, enfonçait-il le couteau dans la plaie d'un destin malheureux ?

Pourquoi, vis-à-vis de Rome, des sept collines de Rome, vis-à-vis de la musique savante, je veux dire instrumentale, a-t-il désiré maintenir une animosité à ce point opiniâtre ?

Quelle est la nature de cette étrange *loyauté* à l'égard des dégoûts d'enfance ?

Je pense à la vengeance de Lautréamont, à sa révolte contre ses maîtres du lycée impérial de Pau, à ses violentes diatribes contre le professeur de français, latin, grec, rhétorique, homosexualité, qui s'appelait Gustave Hinstin. (Monsieur Hinstin est né en 1834. Il fut déplacé, révoqué, réintégré, mis en disponibilité avec traitement, radié. Il désira à plusieurs reprises se suicider. Il mourut en 1894. C'est juste un an avant que Julien Quignard meure, tout à coup, à Ancenis et que Maurice Rollinat envoie à sa veuve Constance une petite carte de visite.)

Il est possible que Gracq ait voulu répondre à la détresse de son enfance par une colère comparable à celle d'Isidore Ducasse.

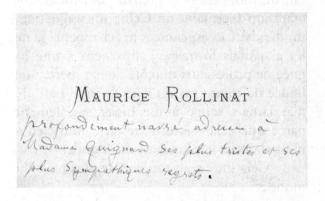

MAURICE ROLLINAT

profondément navré adresse à Madame Quignard ses plus tristes et ses plus sympathiques regrets.

Des Forêts, de même, détestait Rome et tout ce qui lui rappelait les versions latines du pensionnat de Saint-Brieuc. Il refusait de lire mes livres quand il s'y trouvait des citations en latin.

Le fils du mercier de Saint-Florent, qui s'appelait Poirier, désira s'anoblir du nom de Gracq.

Moi, le neveu des musiciennes pauvres, je gardais le nom pauvre, le nom dédaigné par les riches autochtones de Saint-Florent-le-Vieil, des organistes Quignard.

« J'appartiens à l'une des plus vieilles familles d'Orsenna. »

Le fils du mercier de Saint-Florent portait un monocle et se prenait pour un aristocrate, un Germain, un Celte, un wagnérien, un dandy. Ces espérances m'échappent. Je ne les ai jamais formées. J'appartiens à une lignée de professeurs du côté de ma mère, une lignée de musiciens du côté de mon père. Je n'ai jamais songé à me hisser socialement parce que cela – être lettré, être musicien – me paraissait le plus haut du monde.

Cela me paraît toujours le plus haut du monde.

Je suis peut-être devenu écrivain mais je n'ai même jamais songé à « devenir écrivain ». Lire dans mon coin était le but de mes jours et en ce sens j'ai réussi ma vie puisque c'est toujours le dessein que je forme quand je me lève et que je pousse les volets dans la fin de la nuit – dans la pénombre incertaine, toujours un peu opaque, frissonnante, presque complètement silencieuse, d'avant le jour.

Les chats veulent sortir. Ils veulent aller inspecter ce qui se passe sur la rive, se mêler au chant des oiseaux qui se cherche encore

dans l'air et la lumière absente, s'enfouir c
la brume qui se lève.

Ce n'est plus la Loire. C'est l'Yonne.

Un jour, j'ai démissionné de toutes les
fonctions que j'exerçais alors, pour retrouver
l'étude.

L'étude des notes, de toutes les clés, des
lettres, des partitions, des manuscrits, du
piano, du violon, de l'alto, du violoncelle, des
gammes majeures et relatives, des langues, des
livres.

L'étude est à l'homme adulte ce que le
jeu est à l'enfant. C'est la plus concentrée des
passions. C'est la moins décevante des habi-
tudes, ou des attentions, ou des accoutuman-
ces, ou des drogues. L'âme s'évade. Les maux
du corps s'oublient. L'identité personnelle se
dissout. On ne voit pas le temps passer. On
s'envole dans le ciel du temps. Seule la faim
fait lever la tête et ramène au monde.

Il est midi.

Il est déjà sept heures du soir.

Il est des choses qui blessent l'âme
quand la mémoire les fait resurgir. Chaque
fois qu'on y repense, c'est la gorge serrée.

Quand on les dit, c'est pire encore, car elles engendrent peu à peu, si on cherche à les faire partager par ceux qui les écoutent, qui lèvent leur visage, qui tendent leur visage, qui attendent ce qu'on va dire, une peine ou, du moins, un embarras qui les redoublent. Elles font un peu trembler les lèvres. La voix se casse. J'arrête de parler. Mais alors je commence d'écrire. Car on peut écrire ce qu'on n'est plus du tout en état de dire. On peut écrire même quand on pleure. Ce qu'on ne peut pas faire en écrivant, quand on est en train d'écrire, c'est chanter.

Compléments aux *Leçons de solfège et de piano* sur Gérard Bobillier et sur Paul Celan[1]

Je vous remercie d'être si nombreux. Je vous remercie d'être là, dans la fin du jour. Les cigales chantent toujours. Mais, je vous promets, la chaleur va s'atténuer. Je suis *ému* à l'idée de parler de quelqu'un que j'aimais beaucoup, qui n'est plus, mais je suis *content* de le faire.

---

1. La conférence prononcée au Banquet du livre, à Lagrasse, le dimanche 8 août 2010, dans le petit cloître, était plus longue. Je commençai par rendre hommage à un ami qui venait de mourir, Gérard Bobillier. Et – avant de faire revenir la figure de celle qui m'avait appris l'orgue et l'harmonie – j'en profitai pour évoquer celui qui me poussa à traduire à partir du grec, Paul Celan.

Il faut savoir prononcer le nom des morts.

Je vais évoquer ce soir trois personnes singulières, très singulières, trois « chacun » merveilleux.

Gérard Bobillier.

Paul Celan, qui m'a appris à traduire.

La troisième, ce sera celle qui m'a appris l'orgue et l'harmonie.

Il y a un an, il y a un an tout rond, au mois d'août 2009, juste après la lecture que Pierre Michon avait faite, Colette – Colette Émilie Olive – nous a fait un signe, à Martine et moi – Martine Émilie Saada. Tous les trois on est allés dans la cour, on a pris la voiture, on est montés à Verdier, on a franchi le petit pont, on a traversé les vignes, on a garé la voiture dans le champ d'oliviers, on a poussé la porte, on a ouvert la porte du frigidaire, on a pris une bouteille de corbières rosé glacée et nous sommes montés boire avec Gérard. On a bien ri.

Jean Marcel Léon, c'est comme cela que je l'appelais.

On a bien ri.

De tout ce que j'ai lu sur lui, après sa mort, tout était très bien, vraiment très bien, mais j'ajouterai juste cela : le rire. L'humour ravageur, très particulier. Il avançait par de longues phrases en se décalant, en se syncopant, pleines d'incises. Cet homme était une ruelle qui bifurque, qui lance des parenthèses, qui creuse de brusques détours, mais jamais Bob ne perdait le fil de ce qu'il racontait, jamais, bon samouraï, il ne perdait de vue le coup final qu'il allait porter.

On riait et Bob vous regardait en souriant, avec un petit air modeste, très satisfait de l'accident de la route, ou du déraillement de train, qu'il avait provoqué dans l'âme.

Un dédale – et brusquement on tombe sur le minotaure.

C'est l'origine du mot scolie.

Dans Spinoza ce n'est pas dans les démonstrations, c'est dans les *scolies* que la pensée se fait. Les scolies, telle fut l'invention de Dédale quand, venu d'Athènes en proscrit, il construisit le Labyrinthe à l'instigation du roi Minos : les recoins, les détours, les voies sans issue, *aporos*, les fausses pistes, les angles morts, les cheminements *hilflos*, les *skolia* en zigzag, les scolioses de l'espace.

Je vais rester, un instant, dans la langue grecque pour rester, un instant, encore, avec mon ami.

Qu'est-ce qu'un ami ?

En grec, qu'est-ce qu'un *philos* ?

Pour rendre hommage à Gérard Bobillier je vous ai apporté mon Teubner. C'est paru à Leipzig. Tout ce qui vient de Leipzig est bon : Bach, Blücher, Zénon. Je vais vous lire en grec un morceau de Diogène Laërce sur la vie de Zénon car c'est le premier philosophe, que je sache, qui ait eu l'idée de définir l'ami, de façon très curieuse, à partir des personnes grammaticales. J'ai aussi choisi Zénon en pensant à Bob, parce que c'est le seul des philosophes de l'antiquité grecque qui soit juif, sans concession. Vous savez combien Bob était attaché au « nom juif », à son inscription. Voici le texte de Diogène Laërce : Son père s'appelait Manassé. Zénon le Chypriote était si noir de peau qu'on l'avait surnommé Palmier d'Égypte. Il avait le cou de travers. Quand il consulta l'oracle lui demandant à quoi consacrer sa vie, le dieu lui répondit :

– Deviens de la couleur des morts.

Il comprit : il se mit à lire les auteurs anciens.

Je reprends le texte grec : *Synchrôtizoito tois nekrois.* (Deviens de la couleur des morts.) La lecture est donc bien plus qu'une métamorphose (est bien plus qu'une *mutatio*) c'est une métachromatose. La lecture ne consiste pas seulement à « synchroniser » avec les « choses » des Anciens (*ta tôn archaiôn*) mais à « synchromatiser » avec la lumière disparue et leur monde englouti ou perdu.

Donc, son père Manassé étant riche, Zénon embarque à Chypre en direction de la Phénicie. Il naufrage. Il se retrouve à Athènes. Il se retrouve, plus précisément encore, au Pyrée, assis chez un libraire. Il lit un exemplaire des *Mémorables* de Xénophon et il se prend d'admiration pour ce « Socrate » dont parle le livre.

Diogène Laërce écrit : Zénon leva les yeux du livre que Xénophon avait composé et demanda au libraire :

– Où séjournent de tels hommes ?

Le libraire lui montra, dans la rue, Cratès qui passait.

Il lui dit :

– *Toutô parakolouthèson.* (Suis celui-ci !)

Ce n'étaient pas les fresques qui l'attirèrent d'abord sous le Portique Poecile (la *stoa poikilè*). C'était la mémoire des martyrs. À la vérité le Portique (la Stoa), à Athènes, c'était le Mur des fédérés, à Paris, au Père-Lachaise, tout près de la tombe de Proust (qui est né quand les communards tombaient sous les balles d'une mitrailleuse, les Versaillais sont les premiers à s'être servis d'une mitrailleuse pour tuer de façon démultipliée, non individuelle, industrielle, leurs compatriotes parisiens). La Stoa c'était là où avaient été décimés mille quatre cents citoyens, sous les Trente. C'est là où Zénon désira enseigner. C'est là qu'il fonda le « stoïcisme », en – 300, dans l'éloge *inconditionné* des tyrannicides. Il aimait, avant tout, étudier et lire. Il détestait la foule. À plus de deux, disait-il, on est malheureux. Sa définition de l'ami est célèbre : « Un autre soi-même. »

Mais là, je m'arrête : la traduction française est fautive. La traduction anglaise n'est pas meilleure : « A second self. »

Non, il nous faut passer au grec. Un ami, nous a prévenus Zénon, appartient au « moins que deux ».

Je vais vous le faire en « petit grec ». Mon père, quand il était en vie, racontait volontiers que, quand je suis né, il faisait un cours de petit grec. Le proviseur du lycée était entré dans la classe alors qu'il était en train de démantibuler en petit grec une plaidoirie de Lysias. Cette expression était un reste du colonialisme de l'Empire français et, sans le moindre doute, de racisme, qui avait les faveurs des collèges jésuites. On disait petit latin, petit grec, comme on disait petit nègre. Il s'agissait de traduire en collant les mots de la langue d'arrivée sur la syntaxe de la langue de départ. Pierre Klossowski – et moi-même à sa suite – on adorait ces exercices qui dénaturaient de fond en comble la langue. On en a souvent parlé ensemble dans son petit appartement près du métro Glacière. On trouvait cela, chaque fois, miraculeux et, à certains égards, théologique. La langue maternelle devenait totalement barbare. La pénurie, malgré les tickets de rationnement, était telle dans les années d'après guerre que l'attention des élèves s'amenuisait sérieusement en fin de matinée. Il fallait égayer de la façon la plus cultivée possible les derniers moments affamés – avant un repas qui lui-même serait nécessairement austère.

J'ajoute que ma mère venait, quant à elle, de perdre les eaux en écoutant *Boris Godounov* chanté par Chaliapine.

Vous voyez : j'ai eu la chance d'être un enfant traumatisé *avant même* le traumatisme de la naissance.

Mais j'arrête mes confidences idiotes.

Je reviens donc au texte grec de Zénon définissant l'amitié : *Philos allos ephè egô.*

En petit grec : Ami autre dit-il je.

En français : Il dit que l'ami est un autre je.

C'est ainsi que Zénon est très précis. L'ami n'est pas du tout *a second self.* L'ami n'est pas un autre soi-même. *Ego* n'est pas un *ille,* un « il », un « lui-même ». L'ami est un *allos egô,* un autre je. Que l'ami soit un autre ego signifie : L'ami est une autre *première personne du singulier.* En ce sens Montaigne n'a pas compris Zénon. Ce n'est pas « parce que c'était lui, parce que c'était moi ». Zénon est beaucoup plus profond que Montaigne. L'ami, parmi les personnes grammaticales, n'est ni le tu ni le il, ni l'interlocuteur ni le tiers. L'ami c'est ego, c'est la position sujet. C'est pour ça qu'on souffre, quand l'ami disparaît. On est touché au cœur. C'est ego qui est lésé dans la mort de l'ami.

Ce n'est pas la périphérie qui est entamée par la mort de l'ami. C'est le cœur qui est crevé.

C'est ainsi que le fondateur du stoïcisme est le premier (que je sache) qui ait défini l'amitié par ce dédoublement du foncteur de la prise de parole.

L'ami est le je plus je que je.

Ce n'est pas un interlocuteur dans le dialogue. Ce n'est pas un destinataire dans le destin. C'est le seul « sans destinataire » qui soit ce « je » qui prend la parole au fond de chacun d'entre nous.

Autrement dit : Seuls les seuls éprouvent la *philia*. La solitude est la condition nécessaire au pacte merveilleux de l'amitié. Car il s'agit d'un contrat, à l'inverse d'une famille, qui est une conséquence. C'est une décision, et non une empreinte. L'amitié c'est le non symbole par excellence. Les amis ne s'encrantent pas.

Par parenthèses, que veut dire « âge mûr » pour un homme ? Quel est l'équivalent du stade « mère » dans le destin des garçons ? Quelle serait la « maturité quant aux mâles » ? Peut-on parler d'un stade « adulte » pour cet être dont la sexualité est perpétuellement adolescente ?

Pour les hommes, être mûr, c'est peut-être devenir un individu. Et s'adonner à la compagnie d'un individu, c'est peut-être simplement cela, l'amitié. Dans ce cas il faut penser le lien amical comme le contraire du lien filial (de l'enfant à la mère). L'amitié est ce qui est impossible aux fils, aux filles, aux pères, aux mères.

L'amitié est très différente de l'amour. L'amitié est ce miracle : l'autre surgissant en première personne du singulier dans l'espace des interlocuteurs. L'amour est un tout autre miracle (et un tout autre typhon), c'est tu, c'est la deuxième personne absolue, c'est l'autre, c'est la différence sexuelle, le visage incompréhensible auquel le je s'adresse sans savoir à qui il a affaire et sans savoir comment s'y prendre.

À l'ombre de Zénon on peut donc risquer cette définition toute grammaticale de l'amitié : L'amitié c'est partager la position sujet en amont du dialogue.

On revient au « chacun ».

Il n'y a que les chacun qui ont des amis.

Il n'y a que les chacun qui éprouvent de la tristesse quand chacun s'en va.

Je reprends mon exemplaire de Diogène Laërce. Je reprends la *Vie de Zénon*. Quand

ses sourcils devinrent blancs, il *tom[...] sur la terre.* Or, en voulant se re[...] qu'il tombait sur la terre, il se cass[...] Frappant la terre de l'autre main [...] terre :

– *Erchomai. Ti m'aueis* ? (Je vien[...] quoi m'appelles-tu ?)

Alors il s'étrangla avec ses doig[...] souffle le quitta.

Mort de Zénon frappant la terre du [...] de la main comme un tambour.

– Arrête de m'appeler ! J'arrive. J'arr[...]

Sur Paul Celan

Je vais rester dans le grec.

La passion de la traduction, je la dois à Paul Celan.

Je vous ai apporté un livre que j'ai traduit il y a quarante-deux ans. Je ne vais pas le lire. Ne vous inquiétez pas. Je l'ai seulement apporté. Il y a plus de quarante ans, dans la revue *L'Éphémère*, Paul Celan nous faisait, tous, traduire : André du Bouchet, Louis-René des Forêts, Alain Veinstein, etc. Pour nous, Paul Celan, c'était Pétrarque. Paul Celan à l'époque était surtout connu comme traducteur. Mon très ancien ami, mon très ancien condisciple, Jean-Luc Marion, dans ses *Mémoires*, écrit avec douleur : « À l'École il y avait un répétiteur pour les élèves qui étaient mauvais en allemand. Ses cours étaient chahutés au dernier degré et je chahutais aussi. Eh bien, cet homme, c'était Paul Celan ! »

Voilà ce qu'était Paul Celan, un inconnu.

La fin de la revue *L'Éphémère* est simple à dater : c'est le jour d'hiver où il eut le désir de se jeter d'un pont dans la Seine.

C'est le plongeur.

Terrible année pour nos dieux d'alors. Rothko venait de se donner la mort. Celan plonge. Il n'aurait plus manqué que Primo Levi, du haut de la cage d'escalier, s'élance dans le vide. Que Gilles Deleuze ouvre la fenêtre. Que Bruno Bettelheim, à genoux sur son paillasson, glisse doucement sa tête dans le sac en plastique qu'il vient de ramener de l'épicerie.

Ce livre que j'ai apporté, la *Cassandre* de Lycophron, j'avais fini, depuis longtemps, de le traduire – quand il plongea.

Je viens de dire – ou plutôt Zénon vient de dire – ce qu'était un *philos*.

Maintenant on va faire un pas en arrière. On va se demander : qu'est-ce que veut dire *philein* dans *philos* ?

Il y a une phrase d'Héraclite très simple qui l'exprime un peu plus de deux cents ans plus tôt, à Éphèse, en Turquie. Un peu plus de deux cents ans avant Lycophron, à Alexandrie, en Égypte. Cette phrase contient trois mots seulement. *Physis kryptesthai philei.* Là encore, en petit grec, cela donne : nature cacher aime.

On traduit habituellement, pas si mal que ça : La nature aime à se cacher.

Je vais encore faire le pédant. Tout le monde sait que je suis profondément pédant. Et c'est très bien ainsi. Personne ne l'est jamais assez dès l'instant où il s'agit de sonder le mur, afin de pouvoir le renverser. Il faut dire que le mot *physis* en grec ne désigne pas la nature (pas plus qu'il ne désigne la physique). La *natura* latine, c'est clair, c'est tout ce qui naît. Mais la *physis* grecque couvre une région de l'être beaucoup plus vaste que la vie. Elle ne renvoie pas à ce qui naît. Le mot *physis,* en grec, c'est tout ce qui pousse. Les fleurs qui poussent, les sexes qui s'érigent, le vent astral qui déplace les météores et les planètes, le soleil qui se lève, la vague immense qui s'abat sur la plage. C'est, dans le temps, le temps lui-même, l'arrivée qui arrive dans l'arrivée. Le mot latin qui traduit le mieux le mot *physis* est sans doute le mot *pulsio*, impulsion, poussée, pulsion.

En grec le mot *physis* désignait couramment le sexe masculin.

Vous percevez mieux le sens de la phrase si vous traduisez : Le sexe masculin – ce que les Romains appelaient le *fascinus* – aime à *s'encrypter*. Dans un premier temps la poussée aime. Dans un second temps la poussée aime se dissimuler. En d'autres termes, si la *natura* des Romains aime le printemps, la *physis* des Grecs a de l'amitié pour l'hiver, pour la nuit de l'hiver avant que tout pousse, ou plutôt *afin* que tout pousse. Le fragment CXXIII d'Héraclite (Proclus, *Comment. Répub.* II, 107) ne contient donc que trois mots, *Physis kryptesthai philei*, mais si on veut le traduire à peu près clairement il faut multiplier les mots, il faut dire : Avril a de l'amitié, un pas en arrière, pour mars, où il se prépare, où le monde gonfle sous la terre dans l'invisible, de même que le soleil a de l'amitié pour la nuit dont il revient, chaque matin, chaque jour, dans l'aube, de même que le naissant vit dans le premier monde, celé dans le monde invisible, *avant* qu'il surgisse sur le rivage de lumière. Vous comprenez mieux alors le nom de Celan – le nom que s'est choisi Antschel. Car il désira s'appeler, en français, Celan. Des Forêts, dans ses lettres, écrivait même Célan quand il parlait de lui.

J'en arrive au secret de ce nom.

Le futur, en ce qui concerne le temps, est ce qui est crypté.

Le mot français futur (*phutur*) vient lui-même du mot grec *phusis*.

C'est l'appel.

Alexandra est l'ultime tragédie du monde grec. Cette œuvre de Lycophron est, à proprement parler, destinale. Le texte commence par le verbe dire au futur. Non pas *Legô* (je dis) mais *Lexô* (je dirai) et il se clôt sur le mot *Aiai* (Hélas) : c'est toute l'histoire de la Grèce qui est alors racontée jusqu'à la conquête romaine, dans la poussée d'un seul désastre.

Lexô...

Je dirai – c'est sans détour que je dirai la douleur de l'Histoire.

Je pense que Celan voulait que je traduise Lycophron simplement pour ce futur absolu : *Lexô*. Je dirai.

Une voix, même obscure, même vaine, tournée vers l'avenir, obtient l'avenir. Elle appelle. Et cet appel cherche la venue de quelqu'un qui entend l'appel auprès de celui qui appelle. Même si tous ceux qu'elle appelle sont morts, elle appelle encore, elle appelle de façon absolue. C'est comme le rêve pour la vue.

Lexô est le premier mot de l'œuvre du premier bibliothécaire du musée d'Alexandrie dont le patronyme est encore sauvage : pensée du loup. *Lyko phrôn*, en petit grec, c'est Loup pensée.

Lexô ta panta nètrekeôs, archès ap'akrès... Je dirai toutes choses sans détour, depuis l'origine jusqu'à la *crête surgie du temps...* (Ou encore : Je nommerai un à un « jadis » jusqu'à la *cime de ce qui fut.*)

« Lexô » c'est exactement ce que déclare Nelly Sachs à Stockholm, le 1er octobre 1946 : « Il faut qu'une voix se fasse entendre. »

L'appel espère dérouter l'autre de son chemin pour faire venir vers là où il est émis.

D'une part le cri achemine celui qui l'entend vers sa source. D'autre part le criant anticipe un mystérieux « être entendu par l'autre » au fond de son cri.

Dans tous les cas le cri est comme un rêve. Il est hallucinatoire. Dans l'âme de celui qui crie une « audition imaginaire » préside à l'appel qui s'élève et se plaint.

C'est ainsi qu'un « autre que soi », plus ancien que soi, plus pathétique que soi, erre dans la voix, vers lequel le soi s'écrie mystérieusement. *Physis* c'est pousser. Le *poussin* (quel mot extraordinaire) « pousse » ses premiers cris *à l'intérieur* de l'œuf.

Chez les goélands si beaux, si fidèles, qui nichent dans les falaises au-dessus de l'océan, qui reviennent chaque année dans le même nid, dans le même buisson, dans le même recoin de roches, au centimètre près, la nature aime tellement se crypter que le poussin « pousse » ses premiers cris *une semaine* avant sa naissance, sous sa coquille grise. Énigmatique appel au sein du premier monde en direction de ce que le premier monde ignore.

Chez les canards, sur la rive de l'Yonne – là, pour ce qui concerne la rive de l'Yonne, je suis expert –, les œufs crient *trois jours* avant l'éclosion. La cane qui les couve dialogue avec ces cris obscurs, de faible intensité, sans visage, qui montent au-dessous d'elle. Étrange appel à un corps autre jamais vu, à un soleil jamais vu.

La cryptographie est originaire.

Comme la conception humaine, abritée loin, dans l'invisible, très loin des grandes lèvres qui bordent le sexe des femmes, au fond de la crypte des mères.

Comme la sexualité, l'écriture sert à « transmettre cachée » la voix.

C'est toujours le fragment CXXIII d'Héraclite : *Physis kryptesthai philei.*

Celan celant.

Paul Celan est un poète qui se voulut *hermétique* en raison d'un séisme *apocalyptique.* Trois voiles épais, telles étaient les tentures *prophétiques* qui entouraient le tabernacle et le soustrayaient à la vue des fidèles. Paul Antschel sous le voile de Paul Aurel puis sous le voile de Paul Ancel puis sous le voile de Paul Celan. Paul Celan conçut son ultime pseudonyme à cette fin. Il se jeta dans l'eau de la Seine qui se referme sur lui dans le froid à cette fin. Celan est celui qui a écrit : « La bouteille qui est jetée à la mer contenant quelque chose qui a été écrit à l'encre sur un morceau de papier doit nécessairement être hermétiquement bouchée. » Elle flotte ainsi : parce qu'elle est celée. Ni l'eau externe ni les larmes ne la délavent. Ce scel est une part du poème. C'est ainsi que le poème prouve que la langue, dans son fond, appelle.

Une invocabilité erre en amont des langues naturelles, beaucoup plus profonde que leur sens.

Primo Levi s'en prit une fois à Paul Celan avec violence. « Écrire c'est transmettre, dit-il. Ce n'est pas chiffrer le message et jeter la clé dans les buissons. » Mais Primo Levi se trompait. Écrire ce n'est pas transmettre. C'est appeler. Jeter la clé est encore appeler une main après soi qui cherche, qui fouille parmi les pierres et les ronces et les douleurs et les feuilles mouillées, noires, gluantes de boue, ou craquantes, ou coupantes de froid, de la nuit, à l'Ouest du monde.

Vous entendez les cigales ?

Bien que la nuit soit tombée – tandis que je vous parlais, elle est complètement tombée – vous entendez les cigales qui continuent leur chant ? Vous les entendez qui raclent encore leur archet ?

Pour les Grecs, avec les cigales, on était au cœur de la musique.

Pour ce qui me concerne, j'en suis moins sûr.

Mais, de toute façon, je vais terminer par la cigale et la fourmi.

Je savais bien que la nuit serait là, quand je terminerai.

Je vais terminer par une version géniale de la cigale et la fourmi. Je vais terminer par la version de Babrios. C'est la fable CXL de Babrios.

– Pourquoi n'as-tu pas fait de provisions durant l'été ? demande la fourmi dans Babrios de Syrie.

– Par manque de temps, répond la cigale de Babrios, car j'ai été contrainte de chanter le dieu afin que tu survives.

Table

Iconographie

Le cours des Demoiselles Quignard, année 1920

Marthe Quignard, *Portrait de Juliette Quignard
devant le piano d'études, 1918*

Marthe Quignard, année 1920

*Marguerite Quignard assise tenant par la main Jacques
Quignard qui se blottit contre ses genoux, année 1920*

*La carte de visite de condoléances de Maurice Rollinat
à Constance Quignard en 1895*

Albucius, éd. POL, 1990 (Livre de Poche 4308)

Kong Souen-long, Sur le doigt qui montre cela, éd. Michel Chandeigne, 1990

La Raison, éd. Le Promeneur, 1990

Tous les matins du monde, roman, éd. Gallimard, 1991 (Folio 2533)

La Frontière, roman, éd. Michel Chandeigne, 1992 (Folio 2572)

Le Nom sur le bout de la langue, éd. POL, 1993 (Folio 2698)

Le Sexe et l'Effroi, éd. Gallimard, 1994 (Folio 2839)

Les Septante, conte, avec Pierre Skira, éd. Patrice Trigano, 1994

L'Amour conjugal, roman, avec Pierre Skira, éd. Patrice Trigano, 1994

L'Occupation américaine, roman, éd. Le Seuil, 1994 (Point 208)

Rhétorique spéculative, éd. Calmann-Lévy, 1995 (Folio 3007)

La Haine de la musique, éd. Calmann-Lévy, 1996 (Folio 3008)

Terrasse à Rome, roman, éd. Gallimard, 2000 (Folio 3542)

Tondo, avec Pierre Skira, éd. Flammarion, 2002

Écrits de l'éphémère, éd. Galilée, 2005

Pour trouver les enfers, éd. Galilée, 2005

Le Vœu de silence, essai sur Louis-René des Forêts, éd. Galilée, 2005

Une Gêne technique à l'égard des fragments, essai sur Jean de La Bruyère, éd. Galilée, 2005

Georges de La Tour, éd. Galilée, 2005

Inter aerias fagos, poème latin calligraphié par Valerio Adami, éd. Galilée, 2005

Inter aerias fagos, poème latin traduit par par Pierre Alféri,
   Éric Clémens, Michel Deguy, Bénédicte Gorrillot,
   Emmanuel Hocquard, Christian Prigent, Jude Stéfan,
   éd. Argol, 2011
Villa Amalia, roman, éd. Gallimard, 2006 (Folio 4588).
Requiem, avec Leonardo Cremonini, éd. Galilée, 2006
Triomphe du temps, éd. Galilée, 2006
L'Enfant au visage couleur de la mort, éd. Galilée, 2006
Ethelrude et Wolframm, éd. Galilée, 2006
Le Petit Cupidon, éd. Galilée, 2006
Quartier de la transportation, avec Jean-Paul Marcheschi,
   éd. du Rouergue, 2006
Cécile Reims graveur de Hans Bellmer, éd. du Cercle d'art,
   2006
La Nuit sexuelle, éd. Flammarion, 2007 (J'ai lu 9033)
Boutès, éd. Galilée, 2008.
Lycophron et Zétès, éd. Gallimard, 2010 (Poésie/Gallimard
   456)
Medea, éd. Ritournelles, 2011
Les Solidarités mystérieuses, roman, éd. Gallimard, 2011
L'Origine de la danse, éd. Galilée, 2013

Collection "Arléa-Poche"

ACHEVÉ   D'IMPRIMER
EN   FÉVRIER   2013
SUR LES PRESSES DE
CORLET   IMPRIMEUR
À CONDÉ-SUR-NOIREAU
C A L V A D O S

Numéro   d'édition :   1026
Numéro d'impression : 153188
Dépôt   légal :   mars   2013
Imprimé   en   France